MISSION : ADOPTION

RÉGLISSE

Fais connaissance avec les chiots
de la collection *Mission : Adoption*!

Belle
Biscuit
Boule de neige
Cannelle
Carlo
Chocolat
Glaçon
Husky
Maggie et Max
Margot
Patou
Pico
Presto
Princesse
Rascal
Réglisse
Rosie
Théo
Tony
Zigzag

MISSION : ADOPTION

RÉGLISSE

ELLEN MILES

Texte français de Laurence Baulande

Éditions
SCHOLASTIC

Catalogage avant publication de Bibliothèque et Archives Canada

Miles, Ellen
Réglisse / Ellen Miles;
texte français de Laurence Baulande.

(Mission : adoption)
Traduction de : Shadow.
Pour enfants de 7 à 10 ans.

ISBN 978-0-545-99204-6

I. Baulande, Laurence II. Titre.
III. Collection : Miles, Ellen. Mission : adoption.

PZ23.M545Reg 2008   j813'.6   C2007-906033-1

Édition publiée par les Éditions Scholastic,
604, rue King Ouest, Toronto (Ontario) M5V 1E1.

7 6 5 4 3   Imprimé au Canada 121   12 13 14 15 16

Pour Katie

CHAPITRE UN

— Charles, où as-tu mis les fourchettes?

Rosalie tâtonna jusqu'à ce qu'elle trouve une pile d'ustensiles sur la table. Du bout des doigts, elle toucha des formes lisses et arrondies, des cuillères donc. Où étaient les fourchettes?

— Je n'ai touché à rien, répondit Charles du salon. Je ne suis même pas à côté de la table.

Rosalie tâtonna de nouveau.

— Ah, les voilà!

Elle prit quelques fourchettes et commença à faire prudemment le tour de la table en en mettant une à chaque place.

— Je te l'avais bien dit, répliqua Charles. Mais qu'est-ce que tu fabriques?

Rosalie entendit son frère qui la rejoignait dans la salle à manger.

— Je fais semblant d'être aveugle, expliqua-t-elle.

Elle avait noué un foulard de soie bleu sur ses yeux en guise de bandeau.

— Ah bon, dit Charles. Pourquoi?

— Je veux savoir l'effet que ça fait, expliqua Rosalie. En classe, nous avons commencé à lire *L'histoire d'Helen Keller*. Est-ce que tu en as entendu parler?

Charles secoua la tête.

— Oui ou non? demanda Rosalie en n'entendant pas de réponse.

— Oh! s'exclama Charles en se rendant compte que Rosalie ne l'avait pas vu secouer la tête. Non.

— Je suppose que tu sauras qui c'est quand tu seras en quatrième année, dit Rosalie.

Elle aimait bien rappeler à Charles qu'elle était plus âgée et plus sage que lui. Comme sa sœur ne pouvait pas le voir, Charles lui fit une grimace et lui tira la langue.

— Donc Helen Keller était sourde et aveugle, continua Rosalie. Elle ne parlait pas non plus. Peux-tu imaginer ça?

Cette fois, Charles pensa à dire non en même temps qu'il secouait la tête.

— Eh bien, je fais comme si j'étais aveugle, dit Rosalie. J'essaie de m'imaginer ce que je ressentirais si je ne voyais pas.

— Est-ce qu'Helen Keller avait un chien-guide?

demanda Charles.

— Bonne question, répondit Rosalie. Non, elle adorait les chiens et en a eu plusieurs, mais ce n'était pas des chiens-guides. Il n'y avait pas encore de chiens-guides quand elle était enfant.

Rosalie entendit Charles qui soupirait. Elle se dit qu'il était sûrement en train de lever les yeux au ciel parce qu'elle parlait de nouveau comme un livre. Rosalie ne pouvait pas s'en empêcher. Elle aimait apprendre et en particulier, tout ce qui concernait les chiens.

Charles et Rosalie adoraient tous les deux les chiens. Ce qui était aussi le cas du Haricot, leur petit frère. En fait, le Haricot, dont le vrai nom était Adam, aimait faire semblant d'*être* un chien. Il jouait avec des jouets pour chien, dormait dans un panier pour chien et aboyait plus souvent qu'il ne parlait.

Toutefois, même si le Haricot se prenait pour un chien, il n'en était pas un. Charles et Rosalie continuaient donc de réclamer presque chaque jour un chien à leurs parents. M. Fortin, leur père, aimait aussi les chiens. Mais il pensait, de même que leur mère, qui, elle, préférait les chats, que la famille n'était pas prête à accueillir un chien pour de bon.

Comme Mme Fortin leur répétait souvent, un chien représentait une grosse responsabilité et exigeait beaucoup de travail.

Rosalie le savait et elle était prête à promener un chien tous les jours, à le nourrir, à faire sa toilette et à l'éduquer. Elle l'avait prouvé. Les Fortin avaient accueilli récemment deux chiots et s'en étaient occupés quelques semaines jusqu'à ce qu'ils leur trouvent un nouveau foyer. Charles et Rosalie avaient vraiment travaillé dur pour s'occuper de ces chiots. Avec l'aide de leurs parents, ils avaient aussi commencé à les éduquer.

— Comment va Boule de neige? demanda Rosalie à Charles.

Boule de neige était le deuxième chien qu'ils avaient recueilli. C'était un petit terrier blanc du West Highland qui vivait maintenant avec Mme Hébert, la marraine de Charles. Les marraines et les parrains étaient des personnes âgées qui vivaient à la résidence Les Jardins et à qui les enfants de l'école rendaient visite régulièrement.

— Il va super bien! répondit Charles. Mme Hébert lui a appris à ranger ses jouets. Il les apporte dans son panier dans un coin de la pièce, puis revient chercher une friandise.

— Boule de neige est si intelligent! s'exclama Rosalie.

Elle tâtonna pour trouver la pile d'assiettes et recommença à se déplacer autour de la table, posant une assiette devant chaque chaise.

— Il est peut-être même encore plus intelligent que Cannelle.

Cannelle était le premier chiot que les Fortin avaient recueilli. C'était une femelle Golden Retriever. Elle avait été adoptée par la famille de Samuel, le meilleur ami de Charles, qui avait déjà un golden retriever plus âgé, Rufus et qui habitait juste à côté des Fortin.

— Je n'en suis pas sûr, dit Charles. Cannelle aussi est très intelligente. Elle a vite appris à ouvrir le placard où la mère de Samuel range la nourriture pour chiens.

— C'est parce qu'elle a faim, dit Rosalie en riant. Les Golden Retrievers sont gourmands. Ils adorent manger. Mais Cannelle n'est pas stupide, ça c'est certain.

— Tu peux le dire! dit M. Fortin en entrant dans la

pièce.

— Cannelle n'est pas stupide, répéta Rosalie très sérieusement, ça c'est certain. Puis elle éclata de rire.

M. Fortin se mit aussi à rire.

— Pourquoi portes-tu un bandeau? lui demanda-t-il.

Rosalie lui expliqua ce qu'elle faisait.

— Mmh, dit M. Fortin. Intéressant. Tu as fait du bon travail, même sans rien voir. Mais tu vas devoir ajouter un couvert. Nous avons une invitée pour le dessert ce soir.

— Qui est-ce? s'exclamèrent Charles et Rosalie en même temps.

— Catherine Demers, dit leur père. Vous vous souvenez de la vétérinaire qui s'est occupée de Boule de neige? Votre mère et moi l'avons invitée. Elle a téléphoné aujourd'hui pour nous dire qu'il y avait quelque chose dont elle voulait nous parler. Il sourit à ses enfants. Et mon petit doigt me dit qu'il pourrait bien s'agir d'un chiot.

CHAPITRE DEUX

— Un chiot? Rosalie retira son bandeau. Tout d'un coup, elle était beaucoup trop excitée pour faire semblant d'être aveugle.

— Comment ça, un chiot?

Leur père haussa les épaules et leva les mains.

— Je n'en ai aucune idée, dit-il. C'est votre mère qui lui a parlé. Puis, il regarda sa montre. D'ailleurs, le Haricot et elle vont être ici d'une minute à l'autre. Le souper est presque prêt : j'ai fait du macaroni au fromage.

— Mais papa! s'exclama Charles. On va avoir un nouveau chiot, oui ou non?

Rosalie soupira. Parfois Charles n'écoutait vraiment pas.

— Papa a dit qu'il *ne* savait *pas*, dit-elle. Allez, viens m'aider. Nous devons terminer de mettre la table.

Ils s'affairèrent tous pendant quelques minutes, et quand maman et le Haricot arrivèrent, les pâtes étaient sur la table.

— Papa nous a parlé du chiot! s'écria Rosalie tandis que sa mère enlevait son manteau et posait son sac d'épicerie sur le comptoir.

— Ah, oui? Et qu'est-ce qu'il vous a dit exactement?

— Eh bien, répondit Rosalie, pas grand-chose en fait. Juste que Mme Demers va venir nous voir et qu'il pourrait s'agir d'un chiot.

Mme Fortin approuva d'un signe de tête.

— En fait, je n'en sais pas plus, dit-elle. J'étais très occupée quand elle a appelé et je n'ai pas vraiment eu le temps de discuter. Mais nous en saurons plus tantôt, j'en suis sûre.

— Nous allons avoir un autre chiot, nous allons avoir un autre chiot, chantonna Charles en sautillant à travers la pièce.

— Iot! iot! cria le Haricot.

Il connaissait bien ce mot. En fait, il l'*adorait*.

— Je me demande de quelle race il est, dit Rosalie. J'espère que cette fois, c'est un gros chien. Un grand danois? Un caniche? Un saint-bernard? Même un airedale, ça serait sympa.

Rosalie passait beaucoup de temps à étudier son affiche « Les races de chiens dans le monde » et à se renseigner sur les caractéristiques des différentes races. Sa préférence allait aux gros chiens. En fait elle pensait que les petits chiens ne comptaient pas vraiment.

— Mais, poursuivit-elle, n'importe quel chiot fera l'affaire. Regardez Boule de neige. C'était un petit chien et il était adorable. Et intelligent. On a eu beaucoup de plaisir avec lui.

Rosalie se rendait compte qu'elle parlait trop, mais elle n'arrivait plus à s'arrêter. Elle était trop excitée.

— Holà, holà, dit maman. Du calme, les enfants. Attendons de voir ce que Mme Demers va nous dire.

En général, Rosalie aimait beaucoup le macaroni au fromage de son père, mais ce soir-là, elle l'engloutit sans même prendre le temps d'en apprécier le goût.

Charles, quant à lui, ne discuta même pas de la quantité de brocolis qu'il devait manger. Il finit toute son assiette sans un mot.

Le Haricot rampait par terre à leurs pieds comme toujours à l'heure des repas, en faisant semblant d'être un chien. De temps en temps, il venait près de la chaise de Rosalie et posait le menton sur ses genoux pour être flatté. « Bon chien », disait-elle en lui caressant les cheveux. Le Haricot aimait ça.

— Bravo pour tes brocolis, Charles, dit maman. Tu

vois, quand tu cesses de protester, ça va mieux.

Cela rappela une blague à Charles. *Tout* lui rappelait toujours des blagues.

— Hé, vous savez combien font huit et huit? demanda-t-il.

— Seize? répondit son père, qui aimait jouer avec lui.

—Cesse de parler! rétorqua Charles. Tu comprends? Seize et cesse!

Il éclata de rire.

Rosalie leva les yeux au ciel. Elle avait déjà entendu cette blague un million de fois.

— Cette blague est tellement vieille que la dernière fois que je l'ai entendue, je suis tombée de mon dinosaure, dit-elle.

Charles tira la langue à sa sœur.

— Moi, je trouve qu'elle est drôle, riposta son père. Il faudra que je m'en souvienne pour la raconter à la caserne.

M. Fortin était pompier, et sa femme était journaliste pour le journal local. Mme Fortin écrivait parfois des articles sur les incendies que son mari avait combattus.

— Je crois que c'est à ton tour de débarrasser la table, Charles, dit-elle une fois le souper achevé.

— Je vais l'aider! lança Rosalie en se levant d'un bond. Charles m'a aidée à mettre le couvert.

Mme Fortin sourit. Rosalie savait que sa mère appréciait que Charles et elle participent aux corvées sans qu'elle ait besoin de leur demander. Elle se dit qu'il valait mieux mettre toutes les chances de leur côté s'il y avait une possibilité d'accueillir un chiot à la maison.

Rosalie était en train de remplir le lave-vaisselle quand on sonna à la porte.

— J'y vais! cria-t-elle en se précipitant pour dépasser Charles. Elle ouvrit la porte.

— Bonsoir, dit Mme Demers.

— Oh! s'exclama Rosalie en prenant une grande inspiration.

Blotti dans les bras de la vétérinaire, il y avait le plus beau chiot qu'elle ait jamais vu. Il avait un pelage noir brillant et soyeux, et regardait Rosalie avec de petits yeux bruns pétillant d'intelligence. Il plissait le front d'une façon adorable, comme s'il était inquiet. C'était un petit chien très sérieux.

La grande fille plut immédiatement au chiot. Il aimait tout le monde, mais surtout les personnes qui lui souriaient comme ça. Est-ce qu'elle aussi allait l'aimer? Dès qu'il serait assez proche, il la lècherait partout sur le visage.

CHAPITRE TROIS

— Je vous présente Réglisse, dit Mme Demers sans avoir l'air de remarquer que Rosalie ne lui avait pas dit bonjour et ne l'avait pas invitée à entrer. Je sais que je n'aurais pas dû l'emmener sans vous en parler d'abord, mais je ne supportais pas l'idée de le laisser tout seul chez moi.

Le reste de la famille était venu rejoindre Rosalie.

— Qu'il est mignon! Quel âge a-t-il? s'exclama Charles.

— Quel beau petit chiot! s'écria M. Fortin à son tour.

— Iot! cria le Haricot en essayant d'atteindre le chiot pour le caresser.

Même Mme Fortin était impressionnée.

— Regardez-le, dit-elle. Il est adorable! Puis, elle se rappela les règles de la politesse. Entrez, entrez Mme Demers.

— Appelez-moi Cathy, s'il vous plaît, répondit la vétérinaire en entrant dans la maison. Elle sourit à Rosalie. Tu as l'air de mourir d'envie de prendre ce chiot dans tes bras. Veux-tu bien le tenir un instant pendant que j'enlève mon manteau?

Rosalie tendit les bras et Mme Demers lui donna le chiot. En sentant son petit corps doux et chaud, Rosalie soupira de bonheur. Et quand le petit chien posa ses pattes de chaque côté de son cou, comme pour lui faire une sorte de câlin, elle eut l'impression que son cœur allait exploser.

— Bonjour Réglisse, chuchota-t-elle dans l'une de ses oreilles soyeuses. Bon chien.

Le chiot lui caressa les joues de son museau, puis lui lécha le visage, ce qui la fit rire.

Ensuite, Réglisse se débattit pour descendre. Rosalie le déposa délicatement par terre. Il courut droit vers le Haricot qui riait et tapait dans ses mains.

— Attrapez-le! dit Mme Fortin.

Rosalie ne savait pas trop si sa mère voulait qu'on attrape Réglisse ou le Haricot, mais c'était trop tard de toute façon.

— Ne vous en faites pas, dit Mme Demers. Réglisse est formidable avec les bébés. Aujourd'hui, il a joué pendant des heures avec mon neveu qui a un an. C'est un chiot, mais il se comporte presque comme un chien adulte.

Ils regardèrent tous le Haricot jeter ses bras autour de Réglisse.

— Iot! iot! cria le petit garçon.

Le chiot déplissa le front. Il remuait sa petite queue si vite qu'on ne voyait plus qu'un mouvement confus. Le chiot grassouillet lécha les joues, le nez et les oreilles du Haricot.

Cette petite personne était tellement amusante! C'était tout à fait comme quand il jouait avec ses frères et sœurs à se renverser et à se tirailler. Tout de suite, Réglisse sut qu'il ferait n'importe quoi pour faire plaisir à cette petite personne. N'importe quoi!

—Réglisse est vraiment un petit chien exceptionnel, expliqua Mme Demers quand ils furent tous assis à table pour manger le gâteau au chocolat que Mme Fortin avait rapporté de la pâtisserie.

Rosalie avait repris Réglisse et le chiot était assis sur ses genoux. Le Haricot, debout à côté de la chaise de sa sœur, était occupé à caresser les oreilles de Réglisse.

— C'est un labrador, pure race, avec des papiers

et tout, ajouta la vétérinaire.

— Des papiers comme pour lui apprendre à faire pipi où il faut? Charles était un peu perdu.

Rosalie sourit.

— Non, répondit-elle. Pas ce genre de papiers. Ceux dont parle Mme Demers sont la preuve que le chien est de pure race. C'est un peu comme son arbre généalogique : ils indiquent qui sont sa mère et son père, et d'où il vient.

— C'est exact, Rosalie, dit la vétérinaire, l'air impressionné. En tout cas, ce chiot a besoin d'un foyer. Une famille d'ici l'avait acheté à un éleveur, avant de découvrir que leur fils était allergique aux chiens! Alors, ils m'ont demandé de lui trouver un bon foyer et j'ai pensé à vous.

Elle sourit à Charles et Rosalie.

— Vous vous êtes tellement bien occupés de Boule de neige! ajouta-t-elle. Mme Hébert est venue l'autre jour avec lui pour un examen et il avait l'air très heureux et en bonne santé. Vous vous rappelez à quel point il était malade la première fois que nous l'avons vu?

Rosalie acquiesça. Mais elle ne pensait pas à Boule de neige. Elle pensait à Réglisse, l'adorable petit chiot endormi dans ses bras.

— Est-ce qu'on peut, maman? demanda-t-elle.
Est-ce qu'on peut le garder?

— Le garder? répondit Mme Fortin. Ou s'en occuper
comme famille d'accueil?

Rosalie savait déjà qu'elle adorerait garder Réglisse
pour toujours. Mais sa mère ne serait sans doute pas
d'accord.

— S'en occuper comme famille d'accueil, jusqu'à ce
qu'on lui trouve un bon foyer, proposa-t-elle.

— Oui, comme famille d'accueil! confirma très vite
Charles.

Rosalie savait que Charles était comme elle. Il
ferait n'importe quoi pour garder le chiot, même si ce
n'était que pour un certain temps.

Mme Fortin hocha la tête pensivement.

— C'est difficile de dire non à ce petit gars, dit-elle.
Qu'en penses-tu, Paul?

— Je suis d'accord si tu l'es, affirma M. Fortin.

— Une chose encore, ajouta Mme Demers. Ce serait
bien si vous pouviez trouver rapidement un foyer
permanent pour Réglisse. Il a neuf semaines, l'âge où
un chiot apprend à faire partie d'une famille. Il ne
faudrait pas qu'il s'attache trop à vous. Sinon, il devra

ensuite tout recommencer depuis le début.

Mme Fortin approuva de la tête. Charles et Rosalie échangèrent un regard. Rosalie savait qu'ils pensaient exactement la même chose. Peut-être que le foyer permanent de Réglisse pourrait être *chez eux*.

Mais leur mère prit la parole à ce moment-là.

— Oui, bien sûr, dit-elle. Et nous aussi, nous avons peu de temps. Dans deux semaines, nous partons en vacances. Pendant la relâche scolaire, nous allons visiter ma famille en Caroline du Sud.

Rosalie savait que sa mère avait raison. Elle avait hâte d'aller visiter ses cousins. Ils avaient deux chiens vraiment super, appelés Pogo et Winnie, avec qui elle adorait jouer.

Charles, Rosalie et le Haricot s'amusaient toujours beaucoup en Caroline du Sud. Et c'est vrai que ce ne serait pas juste de laisser un chiot aussi jeune que Réglisse dans un chenil pendant presque deux semaines. Mais Rosalie savait aussi que donner Réglisse à quelqu'un serait une des choses les plus difficiles qu'elle aurait à faire. Elle était déjà tombée amoureuse de cette petite boule de poils noire à l'air si sérieux.

Réglisse se sentait au chaud et en sécurité sur les genoux de la grande fille. Il savait qu'elle prendrait bien soin de lui. Et lui aussi prendrait bien soin d'elle. Il se retourna pour s'installer plus confortablement, soupira de bonheur, et se rendormit.

CHAPITRE QUATRE

Le dimanche soir, toute la famille adorait déjà Réglisse qui le leur rendait bien. Le chiot semblait avoir tissé un lien spécial avec le Haricot. On ne les voyait jamais l'un sans l'autre. Ils se promenaient ensemble dans toute la maison. Parfois le Haricot marchait à quatre pattes et le chiot galopait derrière lui. D'autres fois, Réglisse trottait devant et le Haricot essayait de le rattraper. Ils faisaient la sieste ensemble, tous les deux en boule dans le panier pour chien, et jouaient avec les peluches préférées du petit garçon chacun à leur tour. On avait l'impression que Réglisse pensait que son travail était de protéger et de surveiller le Haricot, comme si le Haricot était un chiot plus petit dont il devait s'occuper.

Réglisse était un bon petit chiot. Il était déjà presque propre, et en général, il gémissait devant la porte quand il avait besoin de sortir.

Et il adorait faire des câlins. Rosalie avait passé la majeure partie de la soirée du dimanche avec Réglisse endormi sur ses genoux pendant qu'elle regardait la télévision. Elle adorait les petits bruits qu'il faisait en dormant quand elle lui grattait les oreilles. De temps en temps, il se réveillait à moitié, s'étirait, bâillait, et lui léchait le menton. C'était le moment qu'elle préférait.

Charles et Rosalie trouvèrent bien difficile de quitter la maison le lundi matin quand il fut l'heure de partir pour l'école.

— À tantôt, Réglisse, dit Rosalie en le prenant dans ses bras pour un dernier câlin. Elle embrassa le dessus de sa petite tête toute douce. Tu seras bien sage, n'est-ce pas? Elle le reposa par terre, et le chiot bondit vers le Haricot.

Réglisse était désolé de voir partir la grande fille et le garçon. Mais maintenant, il allait reporter toute son attention sur le plus jeune enfant de la maison. Il aimait tellement son nouvel ami!

Charles et son meilleur ami Samuel discutèrent du nouveau chiot pendant tout le trajet vers l'école. Rosalie marchait derrière eux, en pensant qu'elle aussi aimerait bien avoir une meilleure amie. Ce serait super d'avoir quelqu'un à qui raconter toutes les choses amusantes que Réglisse avait faites pendant la fin de semaine, comme plonger la tête dans le coffre à jouets du Haricot et attraper un ours en peluche qui était deux fois plus gros que lui.

Charles avait de la chance. Quand les Fortin s'étaient installés à Saint-Jean, Charles s'était fait un ami qui en plus était leur voisin immédiat. Mais il n'y avait pas de fille de l'âge de Rosalie dans le quartier. Elle s'entendait bien avec la plupart des filles de sa classe, mais elle n'avait pas de *meilleure* amie.

Souvent, pendant la récréation, Rosalie lisait ou faisait des recherches sur Internet au lieu de jouer à la corde à danser ou à « la tag ». Ça ne la gênait pas vraiment, mais de temps en temps, elle pensait que ce serait sympa d'avoir quelqu'un avec qui partager des secrets ou des nouvelles excitantes.

Elle se dit qu'elle pourrait parler de Réglisse lors de la réunion du matin en classe, mais elle décida finalement de ne pas le faire. D'une certaine façon, elle voulait le garder encore un peu pour elle toute seule. Savoir qu'elle allait devoir lui trouver rapidement un bon foyer rendait Réglisse encore plus précieux à ses yeux.

De toute façon, ce jour-là, tout le monde parla de Helen Keller. Mme Moreau avait demandé combien d'élèves avaient eu le temps de lire le livre pendant la fin de semaine, et beaucoup de mains s'étaient levées.

— Qu'est-ce qui vous a intéressé dans ce livre? demanda Mme Moreau.

— Je ne comprends pas comment Helen Keller pouvait grimper aux arbres, et tout ça, dit Nathan. Après tout, elle ne voyait rien...

— Les personnes aveugles sont capables de faire beaucoup de choses, répondit une autre élève qui s'appelait Maria Santiago et était arrivée à l'école encore plus récemment que Rosalie.

En général, Maria était plutôt timide. Rosalie fut un peu surprise de l'entendre prendre la parole.

— C'est vrai, dit Rosalie. J'ai découvert ça en fin de semaine. Je me suis mis un bandeau sur les yeux pour voir ce que ça faisait d'être aveugle. J'ai réussi à me déplacer dans la maison sans trop de difficultés.

Rosalie ne parla pas de toutes les fois où elle avait failli trébucher sur les jouets que Réglisse et le Haricot avaient laissé traîner partout.

— Mais, en fait, je n'avais pas *vraiment* l'impression d'être aveugle, parce que je voyais encore la lumière à travers mon bandeau.

Maria leva de nouveau la main.

— Beaucoup de personnes aveugles distinguent la lumière et l'obscurité, dit-elle d'une voix douce. La plupart d'entre elles ne vivent pas dans un monde complètement noir.

Rosalie la regarda. Tout à coup, Maria avait un petit côté « Mademoiselle je sais tout ». Qu'était-il arrivé à la petite fille qui ne parlait presque jamais en classe sauf quand on l'interrogeait? Rosalie haussa les épaules.

— C'est possible, répliqua-t-elle. Une autre chose que j'ai remarquée, c'est que je n'entendais pas vraiment mieux. On dit en général que lorsqu'on est aveugle, les autres sens, comme l'ouïe et le toucher, se développent pour compenser, mais peut-être que ça prend du temps.

Maria secouait la tête. Mme Moreau l'interrogea.

— Maria? As-tu quelque chose à dire?

— Eh bien, juste que c'est une sorte de mythe, cette idée que les aveugles entendent mieux, expliqua Maria. Leur ouïe n'est pas meilleure. Ils apprennent tout simplement à faire plus attention à ce qu'ils entendent.

Mme Moreau hocha la tête :

— Ça paraît logique.

Rosalie fronça les sourcils. C'était exactement ce qu'elle venait de dire, non ? Et puis, comment Maria savait-elle tout ça ? Rosalie ne pouvait s'empêcher de la regarder avec curiosité. Mais Mme Moreau était passée à autre chose et demandait aux élèves de sortir leur devoir de mathématiques. Rosalie n'en saurait pas plus.

Le reste de la journée s'écoula lentement. Rosalie avait très hâte de rentrer à la maison pour retrouver Réglisse. Quand la cloche retentit, elle attrapa son blouson et rejoignit Charles et Samuel. Les trois enfants coururent presque tout le long du chemin du retour.

CHAPITRE CINQ

— Réglisse! appela Rosalie dès qu'elle franchit le seuil de la maison. Ici, mon chien! Elle mourait d'envie de voir le petit labrador. Où était-il passé?

— Nous sommes ici! répondit sa mère de l'étage. Je suis en train de ranger le linge. Je descends tout de suite.

Charles et Samuel se dirigèrent vers la cuisine pour prendre leur collation. Samuel avait l'habitude de venir manger chez les Fortin. Rosalie savait qu'il irait droit vers la jarre à biscuits et se servirait tout seul.

Rosalie avança dans le hall, regarda en haut de l'escalier et aperçut le Haricot en train de filer vers le palier du second étage. Il riait en agitant les bras et ne regardait absolument pas où il allait.

Jusqu'à tout récemment, le haut de l'escalier était fermé par une barrière de sécurité pour que le Haricot ne déboule pas l'escalier. Mais maintenant, on l'utilisait moins puisque le Haricot avait grandi et savait qu'il devait faire attention.

Enfin, habituellement, il le savait.

Mais pas aujourd'hui. Il jouait à « attrape-moi » avec Réglisse, et courait aussi vite que le lui permettaient ses petites jambes.

— Attention Adam! cria Rosalie.

Elle ne l'appelait quasiment jamais par son nom, mais cette fois, il lui vint spontanément aux lèvres. Elle commença à grimper l'escalier quatre à quatre, en espérant pouvoir attraper son petit frère s'il tombait.

Juste à ce moment-là, elle vit Réglisse accélérer sa course pour venir se placer entre le petit garçon et le haut de l'escalier.

Oh, non! Réglisse voyait que le petit garçon était en danger! Mais il savait qu'il pouvait l'aider. Il allait pousser son ami loin des escaliers, comme ça il ne chuterait pas! Plus vite! Plus vite!

Le chiot entra en collision avec le Haricot, le repoussant en arrière sur le palier.

Le Haricot se retrouva assis par terre, tout surpris. Rosalie se demanda s'il allait éclater en sanglots. Mais après un moment, le petit garçon se remit à rire de plus belle.

Rosalie se hâta de le rejoindre, s'agenouilla près de lui et lui passa un bras autour des épaules.

— Est-ce que tout va bien, mon grand? demanda-t-elle même si elle voyait que c'était le cas.

— Bon petit chien, Réglisse, ajouta-t-elle en passant son autre bras autour du chien.

— Tu l'as sauvé!

— Qu'est-ce qui s'est passé? demanda Mme Fortin qui sortait de la chambre de Charles.

— Oh, maman! Réglisse a été extraordinaire! Il a empêché le Haricot de tomber dans l'escalier, raconta Rosalie.

Elle serra le chien contre elle et l'embrassa sur la tête. Il la regarda de son petit air sérieux avant de lui rendre son baiser d'un coup de langue.

Réglisse ne comprenait pas pourquoi tout le monde était si excité, mais il aimait ça. Il aimait les baisers et les câlins, et par-dessus tout, il adorait courir partout.

Réglisse se débattait pour descendre.

— Iot! iot! cria le Haricot en bondissant sur ses pieds, prêt à commencer une nouvelle partie de « attrape-moi ».

Mme Fortin soupira.

— Bravo Réglisse. Mais j'imagine que nous ferions mieux de remettre la barrière de sécurité pour quelque temps. Ces deux lascars ont couru comme des petits fous toute la journée. Je pensais qu'ils finiraient par se fatiguer, mais non. C'est *moi* qui suis épuisée.

Elle sourit à son fils et au chiot, puis continua, l'air grave.

— Je sais que le Haricot aime beaucoup ce petit chiot, mais nous devons trouver une maison à Réglisse. Et vite.

Rosalie hocha la tête.

— Il faut que ce soit un *excellent* foyer. Réglisse ne peut pas être adopté par n'importe quelle famille. C'est un chien extraordinaire.

Entre-temps, Charles et Samuel les avaient rejoints. Ils croquaient tous les deux dans une pomme avec appétit.

— Salut, Réglisse, dit Charles en faisant un câlin

au petit labrador. C'est *vrai* que tu es un chien très spécial.

— Je sais comment lui trouver un foyer, déclara Samuel un peu plus tard dans la chambre de Rosalie où il s'était installé avec Charles et celle-ci.

Ils avaient proposé de surveiller Réglisse et le Haricot pendant que Mme Fortin finissait d'écrire un article.

— Nous pouvons l'emmener à la vente de garage du centre de loisirs en fin de semaine

— Quoi, le vendre pour 50 cents? protesta Rosalie. Je ne pense pas que c'est une bonne idée. Réglisse vient de chez un éleveur. Il a un pedigree. Il doit valoir plusieurs centaines de dollars.

— Mais nous n'allons pas non plus le vendre pour des centaines de dollars, n'est-ce pas? demanda Charles.

— Bien sûr que non. Nous le donnerons. Mais il faut que ce soit à la bonne famille.

Elle prit une feuille de papier et commença à faire une liste.

— Cette famille doit posséder une grande maison, dit-elle, parce que Réglisse a besoin de beaucoup d'espace pour courir.

— Ou au moins d'une grande cour, dit Charles.

— Avec une clôture tout autour, pour que ce soit plus sécuritaire, approuva Rosalie.

— Je pense qu'il lui faut une famille qui aime les activités de plein air, ajouta Samuel, parce que quand il sera adulte, Réglisse aimera sûrement faire des promenades. Il ne supportera pas de rester enfermé à l'intérieur toute la journée.

Rosalie prit encore quelques notes. Elle jeta un regard au Haricot et à Réglisse qui s'étaient finalement endormis sur son lit. Réglisse était blotti tout contre le petit garçon. Il ronflait doucement, poussant de petits ronflements de chiot.

— Je pense que Réglisse devrait aller dans une famille avec un enfant de l'âge du Haricot, dit-elle doucement.

Elle le nota puis lut la liste à haute voix.

— Ta famille idéale ressemble beaucoup à la *nôtre*, soupira Charles. Pourquoi *ne* pouvons-nous *pas* le garder?

— J'aimerais bien, répondit Rosalie, qui aurait vraiment, vraiment, aimé garder Réglisse. Mais je suppose que ce n'est pas le bon moment, avec en plus nos vacances qui s'en viennent. En tout cas, il va rester avec nous un petit moment encore. C'est l'avantage d'être une famille d'accueil. Nous pouvons nous occuper de plein de chiots différents.

CHAPITRE SIX

Le jour suivant, Rosalie décida qu'il était temps de parler de Réglisse à sa classe. D'abord, parce qu'elle était vraiment fière de présenter un petit chien tellement extraordinaire. Ensuite, parce qu'il avait besoin d'une maison. En parler aux élèves de sa classe, c'était une façon de répandre la nouvelle et d'essayer de trouver un nouveau foyer pour Réglisse.

Quand les Fortin cherchaient une famille pour Cannelle, ils avaient mis des annonces un peu partout. Rosalie avait l'intention d'en faire autant pour Réglisse dès qu'elle aurait le temps.

Rosalie fut la première à lever la main ce matin-là. Quand Mme Moreau l'interrogea, elle commença à raconter que sa famille avait accueilli Réglisse, que c'était un petit chien très mignon, très drôle et très intelligent.

— Il a même empêché mon petit frère de tomber dans l'escalier! ajouta-t-elle.

Maria lui lança un regard admiratif.

33

— Il a l'air vraiment génial, dit-elle. J'aimerais que ma famille puisse l'adopter, mais nous avons déjà un chien. Il s'appelle Simba et...

— J'ai oublié de dire que Réglisse connaît déjà son nom et vient quand on l'appelle, l'interrompit Rosalie.

Elle n'avait pas eu l'intention d'être impolie, elle était simplement très excitée. Quand elle vit l'expression triste de Maria, elle se sentit désolée pour elle. Mais en fait, c'était encore à son tour de parler.

— En tout cas, si vous entendez parler d'une famille vraiment bien qui cherche un chien, dites-le moi, conclut Rosalie.

— Nous le ferons, c'est sûr, dit Mme Moreau. Un petit chien aussi merveilleux mérite la meilleure des familles.

Ensuite, Nathan raconta que son cochon d'Inde allait avoir des petits; Daniel dit que son serpent était en train de muer, et Caroline, que sa chatte Fleur aimait attraper les souris et les déposer dans les pantoufles de son père. Ce jour-là, tous les élèves avaient envie de parler de leurs animaux familiers.

— Demain, dans le cadre de notre étude sur Helen

Keller, nous allons faire la connaissance d'un animal vraiment unique, déclara Mme Moreau, les yeux brillants. Mais c'est une surprise.

Rosalie vit son enseignante jeter un coup d'œil en direction de Maria qui se mit à rougir. De *quoi* s'agissait-il?

Avant que Rosalie ait le temps de poser la moindre question, Mme Moreau annonça qu'il était temps de passer aux mathématiques. Alors que les élèves se dirigeaient vers leur bureau, Rosalie toucha l'épaule de Maria.

— Est-ce que Mme Moreau parlait de ton animal familier? demanda-t-elle.

— C'est une surprise, chuchota Maria.

Rosalie fit la grimace. Maria était sans doute encore en colère parce que Rosalie l'avait interrompue. Eh bien, elle pouvait le garder pour elle son stupide secret!

Une fois encore, la journée d'école s'écoula très, très lentement. Tout ce que Rosalie désirait, c'était profiter de la présence de Réglisse le plus possible avant de le donner. Quand l'école fut finie, elle se précipita à la maison, presque sans attendre Charles et Samuel.

— Où est Réglisse? demanda-t-elle à son père en entrant dans la cuisine.

— Probablement en haut avec ta mère et le Haricot. Veux-tu que je te prépare des fourmis sur une bûche?

Les fourmis sur une bûche étaient une des collations préférées de Charles et de Rosalie. Il s'agissait de bâtonnets de céleri tartinés de beurre d'arachide et ornés de raisins secs. Les raisins étaient censés ressembler à des fourmis sur une bûche. En fait, ils avaient simplement l'air de raisins sur du beurre d'arachide. Mais peu importe, Rosalie adorait cette collation.

— Bien sûr, dit-elle. Mais d'abord, je dois trouver Réglisse.

Elle monta l'escalier en courant.

— Maman, demanda-t-elle à sa mère qu'elle trouva en train de travailler à l'ordinateur. Où est Réglisse?

— En bas, avec ton père, je suppose, répondit-elle, les yeux toujours fixés sur son écran.

Rosalie secoua la tête.

— Non, il n'est pas en bas, dit-elle. Et où est le Haricot?

— En train de faire la sieste. Lui et Réglisse ont

beaucoup joué cet après-midi.

Rosalie se dirigea vers la chambre de son petit frère. Réglisse était sans doute endormi à côté du Haricot, dans le nouveau grand lit de ce dernier. Mais le chiot n'était pas là – et le Haricot non plus.

Rosalie courut prévenir sa mère.

— Maman, le Haricot n'est pas dans son lit! Et Réglisse non plus. Ils ont disparu!

— Quoi?

Sa mère bondit sur ses pieds et se précipita dans la chambre.

Rosalie repartit à toute vitesse vers le rez-de-chaussée.

— Le Haricot et Réglisse ont disparu, annonça-t-elle.

Son père était en train de verser un verre de lait à Charles. Il regarda fixement Rosalie.

— Disparu? répéta-t-il. Mais ce n'est pas possible. Nous sommes restés à la maison tout l'après-midi, votre mère et moi.

— Nous allons les retrouver, dit Charles. Ils doivent être quelque part dans la maison.

Ils commencèrent par chercher dans toutes les chambres à coucher.

Pas de trace du Haricot ni de Réglisse.

Puis, ils fouillèrent dans le salon, la salle à manger et le sous-sol.

— Réglisse! Adam!

Rosalie criait leurs noms dans toute la maison. C'était horrible! Où était son petit frère? Et Réglisse? Les Fortin étaient responsables du chiot. Ils étaient sa famille d'accueil et devaient s'occuper de lui jusqu'à ce qu'ils lui trouvent une vraie famille. C'était leur mission! S'ils échouaient, est-ce qu'on leur confierait d'autres chiots?

CHAPITRE SEPT

Puis Rosalie entendit quelque chose : un lointain et minuscule aboiement, suivi d'un gémissement.

Réglisse n'aimait pas cet endroit. C'était sombre et isolé. Il était entré pour que le petit garçon soit en sécurité, mais la porte s'était refermée sur eux, et maintenant, ils étaient tous les deux prisonniers.

— Réglisse! cria Rosalie. Charles, tu as entendu?
Charles hocha la tête.
— Je crois que ça venait de la chambre du Haricot, dit-il, perplexe.
Toute la famille monta l'escalier en courant et se rua dans la chambre.
— Réglisse? appela Rosalie.
Un autre aboiement. Ça venait du placard!
Papa ouvrit la porte d'un coup sec, et maman se précipita vers le Haricot.
— Oh, mon petit amour! s'exclama-t-elle en le

serrant fort contre elle.

Réglisse sortit du placard en bondissant. Il avait l'air aussi heureux que d'habitude. Rosalie se baissa pour prendre le chiot dans ses bras et l'embrassa. Elle était tellement soulagée de l'avoir retrouvé, de même que le Haricot, bien sûr!

Super! Réglisse était content que finalement, ils l'aient entendu. Peut-être qu'on allait lui donner une friandise. Il l'avait bien mérité, non?

— Balle! dit le Haricot, en désignant l'intérieur du placard.

M. Fortin secoua la tête.

— Il a dû se réveiller pendant sa sieste et entrer là-dedans pour chercher sa balle, dit-il. Réglisse l'a suivi, la porte s'est refermée et ils se sont tous les deux retrouvés coincés.

— Heureusement que le Haricot avait son ange gardien avec lui! ajouta Mme Fortin en serrant de nouveau son fils contre elle. Je suis contente que vous soyez tous les deux sains et saufs.

Le lendemain matin, à l'école, Rosalie était encore traumatisée par ce qui était arrivé. Combien de temps

Réglisse et le Haricot étaient-ils restés prisonniers?
Être une famille d'accueil représentait une lourde
responsabilité!

Mais, ce matin-là, il se passa quelque chose qui lui
fit oublier tout le reste.

— Vous vous souvenez que je vous ai dit hier que
nous allions faire la connaissance d'un animal très
particulier? demanda Mme Moreau juste après le
cours de mathématiques. Eh bien, notre invité est là.
Maria, veux-tu le faire entrer?

Rouge d'émotion, Maria se leva, alla jusqu'à la
porte et l'ouvrit.

— Je vous présente Simba, dit-elle alors qu'un gros
labrador trapu entrait dans la pièce.

Le chien portait un harnais avec une poignée en
cuir. Et tenant le harnais, il y avait une femme qui
ressemblait beaucoup à Maria.

— Et voici ma maman, ajouta Maria. Elle est
aveugle.

Pendant un instant, la classe fut complètement
silencieuse. Puis, il y eut une explosion de bruit
quand tous les élèves commencèrent à parler en
même temps.

— Quel âge a-t-il?

— Peut-on le flatter?

— Comment fait-il pour savoir où aller?

Rosalie était sans doute la seule à ne pas poser de questions. Elle était restée assise, les yeux fixés sur Simba et la mère de Maria. Elle se sentait rougir jusqu'aux oreilles en se rappelant la manière dont elle s'était comportée la veille en se vantant de tout ce qu'elle savait sur les personnes aveugles. Bien sûr que Maria en savait plus qu'elle! Quand Maria retourna s'asseoir, Rosalie lui adressa un sourire gêné. Elle espérait que Maria comprendrait à quel point elle était désolée. Maria lui fit un grand sourire.

Mme Moreau demanda à tout le monde de faire silence.

— Une question à la fois, dit-elle.

Elle invita la mère de Maria à s'asseoir, et lui expliqua comment trouver la chaise qu'elle avait installée en face de la classe. Une fois Mme Santiago assise, avec Simba tranquillement couché à ses pieds, Mme Moreau donna la parole à Nathan.

— Où avez-vous trouvé Simba?

— C'est une fondation qui me l'a donné, une fondation qui forme des chiens-guides pour personnes aveugles, répondit Mme Santiago. Simba a passé la première année de sa vie dans une famille d'accueil. Ce sont des familles qui se portent volontaires pour prendre soin des futurs chiens-guides, les socialiser et leur apprendre les notions d'obéissance de base. Ensuite, la fondation l'a entraîné à travailler avec une personne aveugle. Puis, ils m'ont appris, *moi*, à travailler avec un chien! Elle sourit. Finalement, Simba et moi avons été réunis et avons obtenu notre diplôme ensemble.

Ensuite, Mme Moreau donna la parole à Daniel.

— Est-ce qu'il vit chez vous?

— Oh, oui, répondit Mme Santiago. Simba est toujours avec moi. Mais il est plus qu'un animal de compagnie. C'est un chien qui travaille. Et pour répondre à une question que j'ai entendue tout à l'heure, il ne faut pas flatter un chien-guide quand il est en train de travailler. Ça risquerait de le distraire. Elle se pencha pour caresser Simba. Mais il reçoit beaucoup d'affection, reprit-elle. Toutefois, si le chien n'est pas en train de travailler, et si vous demandez d'abord la permission, son maître vous autorisera peut-être à le caresser.

Mme Santiago leur raconta plein de choses

intéressantes sur les chiens-guides. Elle leur expliqua, par exemple, que Simba ne savait pas forcément où aller si elle ne le lui disait pas. C'était à elle de savoir quand il fallait tourner à gauche ou à droite. Mais Simba savait l'aider à traverser la rue en toute sécurité.

— S'il y a du danger, il ne me laissera pas traverser même si je lui ai donné le signal d'avancer, dit-elle.

— Que se passe-t-il quand vous allez au restaurant? demanda Caroline, sans lever la main. Peut-il vous accompagner?

— Oui, c'est la loi. Les chiens-guides ont le droit d'aller partout. Simba m'accompagne au bureau de poste, dans les magasins, à la banque et dans les restaurants. Quel que soit l'endroit, il sait comment se comporter. Elle sourit à son chien. N'est-ce pas, Simba?

Simba répondit en frappant le sol avec sa queue.

Rosalie adora chaque minute de la visite de Mme Santiago. Elle en apprit plus sur les chiens-guides que jamais auparavant, et elle essaya même de marcher avec Simba en tenant son harnais.

À l'heure du dîner, Rosalie demanda à Maria si elle pouvait s'asseoir à côté d'elle.

— Simba est extraordinaire! dit-elle.

— Je sais, dit Maria. Grâce à lui, la vie de ma mère est beaucoup plus facile. C'est un vrai héros.

C'est alors que Rosalie eut la meilleure idée de toute sa vie.

CHAPITRE HUIT

— Réglisse pourrait devenir un chien-guide pour personnes aveugles, annonça Rosalie à Charles.

Ils étaient tous les deux assis dans la chambre de Rosalie, après l'école.

— J'en ai parlé à Maria, et elle était d'accord pour dire qu'il serait parfait pour ce travail. Qu'en penses-tu?

Elle rappela à Charles que Réglisse s'occupait toujours du Haricot.

— De plus, ajouta Rosalie, nous pourrions être sa famille d'accueil. Comme ça, nous garderions Réglisse pendant toute une année!

Rosalie expliqua à Charles ce que Maria lui avait dit sur les familles d'accueil, comment celles-ci devaient aider les futurs chiens-guides à grandir en santé. Leur mission était d'habituer les chiots à toutes sortes d'endroits et de gens pour qu'ils puissent faire face à n'importe quelle situation quand, plus tard, ils travailleraient avec des personnes aveugles. Ce qui voulait dire que les familles emmenaient les chiots à l'école, au bureau, dans les magasins, dans les ascenseurs... absolument partout!

Charles avait Réglisse sur ses genoux. Il caressait la tête du petit labrador. Réglisse leva la tête pour regarder le garçon et plissa son petit front, comme s'il essayait très fort de comprendre de quoi parlaient Charles et Rosalie.

Réglisse entendait son nom. Il comprenait que le garçon et la fille parlaient de lui. Ils avaient l'air tout excités. Cela voulait sans doute dire qu'il allait se passer quelque chose d'intéressant!

— Super! s'exclama Charles. Il se tut pendant un instant. Ça semble amusant. Mais, au bout d'un an, qu'est-ce qui se passe?

— Eh bien, il ira au centre d'entraînement. Là-bas, ils lui apprendront à devenir un chien-guide et ensuite ils le donneront à une personne aveugle.

Rosalie avait interrogé Maria pour en savoir plus sur tout le processus.

— Donc, après une année, nous devrons le donner?

Charles prit Réglisse dans ses bras et enfouit son

visage dans le cou du chiot.

— Ça ne me plaît pas trop.

— Ça va être difficile, reconnut Rosalie.

Elle-même ne savait pas si elle en serait capable. Si elle aimait tellement Réglisse après quelques jours seulement, comment pourrait-elle le laisser partir après un an?

— Tous les chiots ne deviennent pas des chiens-guides, ajouta-t-elle. Si leur santé n'est pas excellente ou bien s'ils n'ont pas la personnalité qui convient, la famille d'accueil peut alors les adopter de façon permanente.

— Mais Réglisse deviendra un chien-guide, affirma Charles.

— Oui, sans doute, répondit sa sœur.

Puis, elle raconta que les familles adoptives étaient invitées à la cérémonie de remise des diplômes quand le chien et la personne aveugle ont fini leur entraînement et vont commencer leur nouvelle vie ensemble.

— Ça serait génial, ajouta Rosalie. Maria dit que tout le monde pleure pendant cette cérémonie.

Charles était pensif. Sur ses genoux, Réglisse s'étira et bâilla en se réveillant. Il lécha le menton de

Charles puis commença à s'agiter pour pouvoir descendre.

— O.K., mon gars, dit Charles. Je sors avec lui pour une pause-pipi, ajouta-t-il à l'adresse de Rosalie.

Charles et Rosalie savaient tous les deux qu'un chiot a généralement besoin de sortir quand il se réveille.

— Bonne idée, dit Rosalie. Je vais aller sur Internet pour voir si je peux trouver d'autres renseignements sur les chiens-guides.

Rosalie aimait beaucoup faire des recherches, surtout si c'était sur les chiens.

Elle découvrit rapidement qu'il existait une fondation pour chiens-guides dans la région. Elle s'appelait Les Yeux du cœur et formait dix chiens-guides par an. Rosalie était de plus en plus emballée à mesure qu'elle regardait les photos sur leur site. La plupart des chiens étaient des labradors, noirs ou jaunes.

Elle en apprit plus sur le genre de personnalité que les chiens-guides devaient avoir. Il y avait des photos des membres de la fondation en train de tester les chiens pour voir s'ils avaient la personnalité voulue.

Elle trouva aussi des photos de chiots avec leur

famille d'accueil. Ils portaient de petites vestes bleues sur lesquelles il était écrit CHIEN-GUIDE EN FORMATION. Comme ça, on pouvait les emmener dans les magasins ou les bureaux de poste sans avoir de problème.

Il y avait aussi des photos de ces mêmes chiots un an plus tard. Ils portaient maintenant des harnais, et on les entraînait à marcher en ligne droite sur le trottoir et à s'arrêter avant de traverser la rue.

Rosalie vit ensuite des photos des chiens à la cérémonie de remise des diplômes. Ils avaient l'air tellement fiers, assis aux côtés de leur nouveau maître!

Rosalie était de plus en plus passionnée par sa lecture. Quand Charles revint, elle lui montra tout ce qu'elle avait trouvé.

— Bon, et maintenant, que fait-on? demanda Charles. Est-ce qu'on en parle aux parents?

— Attendons de savoir s'ils sont d'accord pour le prendre, dit-elle. Elle cliqua sur la rubrique CONTACTEZ-NOUS!

Chers Yeux du cœur, écrivit-elle. Je m'appelle Rosalie Fortin. J'ai dix ans et j'ai deux petits frères. Ma famille s'occupe d'un petit chiot labrador noir

vraiment extraordinaire qui s'appelle Réglisse. C'est le chiot le plus intelligent du monde. Il est très gentil avec les gens, surtout avec les enfants. Il a même empêché mon petit frère Adam de tomber dans l'escalier. Je crois qu'il ferait un merveilleux chien-guide et je pense que notre famille ferait une très bonne famille d'accueil.

Elle leur demanda de lui répondre très vite pour lui dire s'ils acceptaient Réglisse dans leur programme.

Peut-être bien que Rosalie avait trouvé l'endroit idéal pour Réglisse.

Rosalie eut beaucoup de mal à s'endormir. Dès qu'elle fermait les yeux, elle voyait un Réglisse, encore chiot, dans une petite veste bleue et un Réglisse devenu adulte, équipé d'un harnais et aidant une personne aveugle.

Le lendemain matin, Rosalie bondit de son lit et alluma son ordinateur avant même de s'habiller pour l'école. Peut-être que la fondation lui avait déjà répondu...

Effectivement, un courriel était arrivé pour elle, avec pour titre : *Réglisse*. Rosalie prit une profonde inspiration et ouvrit le message.

CHAPITRE NEUF

Chère Rosalie, disait le courriel. *Réglisse a l'air d'un merveilleux petit chiot. Malheureusement, nous élevons presque tous les chiens de notre programme nous-mêmes.*

Rosalie comprenait. Les responsables de la fondation sélectionnaient les meilleurs chiens pour la reproduction, et c'étaient leurs chiots qu'ils dressaient ensuite pour en faire des chiens-guides. Elle continua à lire.

Parfois, un éleveur nous donne un chiot, et s'il possède des papiers, s'il est en bonne santé et s'il a le tempérament adéquat pour être un chien-guide, alors nous l'acceptons. Mais c'est très rare.

— Rosalie! Viens déjeuner! appela sa mère du rez-de-chaussée.

Rosalie parcourut rapidement la fin du courriel.

Merci d'avoir contacté Les Yeux du cœur, disait-il. *Bonne chance avec Réglisse. Je suis sûre que vous lui trouverez une très bonne famille.*

C'était signé Nancy Donovan.

Dans la salle à manger, Rosalie se laissa tomber sur sa chaise et fixa son bol de céréales en fronçant les sourcils. Réglisse arriva en trottinant et sauta sur sa pantoufle, mais même lui n'arriva pas à lui arracher un sourire. Charles la regarda, l'air interrogateur, et Rosalie se contenta de secouer la tête. Charles comprit. La réponse était non.

— Que se passe-t-il, ma petite chouette? demanda Mme Fortin.

— Rien, répondit Rosalie. C'est juste qu'on pensait peut-être avoir trouvé une maison pour Réglisse, mais ça ne marche pas.

Maman hocha la tête. Elle voyait que Rosalie n'avait pas envie d'en dire plus pour le moment. Maman comprenait bien ce genre de choses.

— Eh bien, je suis contente que vous ayez essayé, dit-elle. Car ce chiot a besoin d'un bon foyer, et rapidement! Nous partons en vacances la semaine prochaine.

Charles regarda le Haricot et Réglisse qui se roulaient par terre en faisant semblant de lutter.

— Il a l'air plutôt heureux ici, dit Charles.

— C'est vrai, reconnut maman. Mais...

— On sait, on sait, dit Rosalie.

Charles se joignit à Rosalie.

— Cette famille n'est pas prête pour accueillir un chien à temps plein! s'écrièrent-ils ensemble.

Sur le chemin de l'école, Rosalie répéta à Charles ce que la fondation lui avait écrit.

— Si seulement quelqu'un de la fondation pouvait rencontrer Réglisse, dit Charles. Ça prendrait une minute! Il a ses papiers et il est en bonne santé.

— Je sais, approuva Rosalie. Et je pense que sa personnalité convient également. Mais ces gens ne veulent même pas le rencontrer. Ça ne les intéresse pas.

— Peut-être qu'on pourrait se *débrouiller* pour que ça les intéresse, dit Charles.

Cela fit réfléchir Rosalie. Ce jour-là, au dîner, elle raconta à Maria ce que la fondation les Yeux du cœur lui avait répondu. Maria fut d'accord avec Charles.

— J'ai un appareil photo numérique, dit-elle. Je l'ai eu pour mon anniversaire et j'ai déjà appris comment l'utiliser. Nous pouvons prendre quelques photos de Réglisse et les envoyer aux responsables. Peut-être qu'en le voyant en pleine action, ils comprendront que c'est un chien vraiment exceptionnel.

— C'est une excellente idée! s'exclama Rosalie. Nous pourrons aussi leur dire qu'il a ses papiers. Et peut-être qu'on pourrait aussi lui faire passer certains des tests de personnalité qu'ils utilisent pour leurs chiots. J'ai trouvé de l'information là-dessus hier soir. Comme ça, ils verront qu'il a le tempérament idéal pour devenir un chien-guide.

Après l'école, Maria accompagna Charles et Rosalie chez eux. Réglisse et le Haricot les accueillirent dans le hall. Le petit garçon avait du beurre d'arachide partout sur le visage, et Réglisse était en train de le lécher.

— Oh, quelle petite face sérieuse! s'exclama Maria en voyant Réglisse. Il est adorable!

Elle sourit au Haricot.

— Toi aussi, tu es mignon, ajouta-t-elle. Même tout barbouillé comme tu l'es.

Le Haricot lui rendit son sourire et aboya. Maria éclata de rire. Puis elle prit Réglisse dans ses bras.

— Que dirais-tu d'un petit câlin? demanda-t-elle. Tu sais, je n'ai pas pu jouer avec Simba quand il était tout petit, parce qu'il était dans sa famille d'accueil.

Réglisse aimait cette nouvelle amie. Même si elle n'avait pas de beurre d'arachide sur le visage, il avait envie de lui lécher le menton.

Ils emmenèrent Réglisse dehors et jouèrent avec lui pendant un moment. Samuel les rejoignit avec Rufus et Cannelle, et les trois chiens partirent à la course dans le jardin.

— Bien, c'est l'un des premiers tests, dit Rosalie en notant quelque chose dans le petit carnet noir qu'elle avait apporté. Réglisse s'entend bien avec les autres chiens.

Maria prit quelques photos des chiens en train de jouer ensemble.

— Quels sont les autres tests? demanda Charles.

— Je vous expliquerai au fur et à mesure, répondit Rosalie. Samuel, pourrais-tu ramener Cannelle et Rufus chez toi? Je ne veux pas que Réglisse soit distrait. Et toi, Charles, pourrais-tu nous trouver un parapluie et une balle de tennis? Ah, et aussi une canette de soda vide. Tu mettras quelques pièces de monnaie dedans et tu la fermeras avec du papier collant.

Elle savait qu'elle avait l'air de commander, mais il n'y avait pas de temps à perdre.

Charles la regarda, intrigué.

— C'est pour quoi faire, tout ça? demanda-t-il. On dirait une chasse au trésor.

— Tu verras bien, répondit Rosalie.

Les garçons s'en allèrent, et Maria et Rosalie continuèrent à jouer un peu avec Réglisse.

Quand Charles et Samuel furent de retour, Rosalie annonça qu'il était temps de commencer l'évaluation.

— Le premier test consiste à vérifier si Réglisse est facilement effrayé, ou pas, par les objets nouveaux, commença-t-elle.

Elle prit le parapluie que Charles avait trouvé – son vieux parapluie rose Barbie, qui remontait à sa 2ᵉ année – et appela Réglisse. Quand il arriva en trottinant, elle ouvrit le parapluie juste devant lui.

Qu'est-ce que c'était que cette chose? Elle lui faisait peur, mais seulement parce qu'il n'avait jamais rien vu de tel! Réglisse devait comprendre ce que c'était. Il allait s'en approcher et la renifler.

Réglisse s'arrêta. Les sourcils froncés, il examina le parapluie en penchant la tête sur le côté. Rosalie posa le parapluie à l'envers devant elle.

— Viens ici Réglisse, dit-elle.

Elle tapota le parapluie. Le petit chiot la regarda.

Puis il regarda le parapluie. Il s'approcha plus près et le renifla. Enfin, il sauta dedans. Maria prit une photo de Réglisse, assis, l'air très sérieux, dans le parapluie rose.

— Super photo! Quel bon petit chien! dit Rosalie en prenant Réglisse pour le serrer fort dans ses bras. Tu es très courageux.

Elle se tourna vers les autres.

— Certains chiens s'enfuient ou aboient en voyant le parapluie. Mais d'autres veulent comprendre de quoi il s'agit. C'est important pour un chien-guide d'être curieux.

— Simba est très curieux, confirma Maria. Il est tout le temps en train de renifler pour être sûr que rien n'est dangereux pour maman.

Rosalie sourit.

— Simba est un modèle pour tous les chiots du monde, dit-elle à son amie.

Elle sentait que la chance lui souriait. Non seulement elle avait une nouvelle amie géniale, mais cette amie connaissait toutes sortes de choses sur les chiens. Elle savait qu'elle allait passer de merveilleux moments avec Maria.

Ensuite, Rosalie demanda à Charles de lancer la

canette pleine de pièces derrière Réglisse. Le chiot sursauta un peu en entendant le bruit de ferraille, mais ensuite il trottina vers la canette et la renifla en cherchant à comprendre ce qui faisait tout ce vacarme.

— Un autre bon signe! s'exclama Rosalie.

Finalement, elle expliqua qu'il était temps de voir si Réglisse aimait travailler avec les gens. Samuel lança la balle de tennis à travers la cour, et Réglisse partit si vite qu'il fit une culbute. Puis, il prit la balle dans sa gueule – même si celle-ci était presque aussi grosse que sa tête – et repartit en trottinant vers Rosalie.

Il avait réussi le test! Maria prit une nouvelle photo.

Réglisse ne s'était jamais autant amusé de sa vie. Ces enfants connaissaient vraiment de super jeux!

Rosalie nota tout dans son carnet.

— Il a vraiment la personnalité idéale pour devenir un chien-guide! déclara-t-elle. Les tests le prouvent.

Cela lui prit plus d'une heure pour taper les résultats de tous les tests. Maria l'aida en téléchargeant les photos sur l'ordinateur et en choisissant les meilleures. Puis, ensemble, elles rédigèrent un long courriel à la fondation. Au moment de se dire au revoir, les deux filles levèrent les mains en croisant les doigts. Avec beaucoup, beaucoup de chance, tout se passerait bien pour Réglisse, et les Fortin pourraient le garder pendant toute une année!

CHAPITRE DIX

Le courriel avait pour titre *De bonnes et de moins bonnes nouvelles*. Rosalie avait le cœur qui battait fort en ouvrant le message des Yeux du cœur qui était arrivé dans la journée, pendant qu'elle était à l'école.

Chère Rosalie, était-il écrit. *La bonne nouvelle, c'est que vous nous avez convaincus que Réglisse ferait un bon chien-guide. Nous aurons besoin d'examiner ses papiers et de faire quelques tests supplémentaires, mais nous avons le plaisir d'accepter votre chien dans notre programme de formation.*

Rosalie n'en croyait pas ses yeux!

— Charles! cria-t-elle. Viens vite!

Charles entra dans la chambre avec Réglisse dans les bras.

— Quoi? Ils ont répondu?

Rosalie lut la première partie du courriel à haute voix. Cela le rendait encore plus réel. Quand elle eut fini de lire, elle et Charles poussèrent des cris de joie et se tapèrent dans les mains.

Réglisse ne savait pas pourquoi les enfants étaient aussi heureux, mais lui aussi était heureux. Les enfants le caressèrent, lui firent un câlin et lui dire qu'il était un merveilleux petit chiot. Ça, il le savait déjà, mais c'était toujours agréable à entendre.

— Alors, quelle est la moins bonne nouvelle? demanda Charles.

Il avait vu le titre du message quand il s'était penché au-dessus de l'épaule de Rosalie. Celle-ci fit dérouler le message, et ils lurent la suite ensemble.

La moins bonne nouvelle est celle-ci : Nous demandons qu'il y ait au moins un enfant de 14 ans ou plus dans la famille d'accueil. Votre famille ne pourra donc pas s'occuper de Réglisse – mais nous espérons que vous pourrez vous joindre à notre programme dans quelques années! En attendant, nous avons une famille d'accueil expérimentée dans votre région. Les Paradis ont accepté de prendre Réglisse. Ils vont communiquer avec vous aujourd'hui.

Charles et Rosalie se regardèrent puis regardèrent Réglisse toujours blotti dans les bras de Charles.

— Je n'arrive pas à croire que nous devons le donner, murmura Rosalie.

Quand ils se précipitèrent au rez-de-chaussée pour tout raconter à leur mère, celle-ci leur rappela que c'était peut-être tout aussi bien, puisqu'ils partaient en voyage dans une semaine. Elle dit aussi à Rosalie qu'elle était très fière d'elle.

— Tu te rends compte? Grâce à toi, une personne aveugle va avoir un chien fantastique. Tu as eu une excellente idée, et tu es allée jusqu'au bout, toute seule, ajouta Mme Fortin.

— Charles, Maria et Samuel m'ont aidée, répondit Rosalie, modeste.

Elle souhaitait toujours autant pouvoir garder Réglisse, mais sa mère avait raison. C'était super que Réglisse aille vivre avec une personne qui avait besoin de lui!

Mme Fortin regarda le Haricot qui suivait Réglisse en rampant à travers la salle à manger.

— Je crois que ça va être très dur pour une certaine petite personne ici, dit-elle en désignant le Haricot d'un mouvement de la tête. Il va perdre son ami. Heureusement, il est encore très jeune et il ne devrait pas être triste trop longtemps. Cela aurait été beaucoup plus difficile pour lui si nous avions gardé Réglisse un an pour devoir le donner *ensuite*.

Rosalie dut reconnaître que sa mère avait raison.

— Je crois que ça aurait été très difficile pour moi aussi, dit-elle.

Les Paradis appelèrent ce soir-là après le souper. Rosalie discuta un long moment avec Stéphane qui avait 16 ans. Il lui parla des deux autres chiots que sa famille avait accueillis. Rosalie lui parla de Réglisse et lui dit que c'était un petit chiot vraiment exceptionnel. Stéphane fut content de savoir que Réglisse et le Haricot étaient devenus de grands amis.

— Je parie que Réglisse aimera ma petite sœur, dit-il. Amanda adore les chiots.

Stéphane raconta à Rosalie qu'ils avaient une grande cour clôturée et qu'ils adoraient faire de la randonnée et des activités en plein air. Rosalie dut admettre que les Paradis étaient peut-être bien la famille idéale pour Réglisse.

Ensuite, la mère de Stéphane parla à Mme Fortin. Elles décidèrent que les Paradis viendraient le lendemain, qui était un samedi, pour rencontrer Réglisse.

Ce soir-là, les Fortin jouèrent longtemps avec Réglisse. Le petit chiot allait beaucoup leur manquer à tous.

— Ça me fait bizarre de donner Réglisse à des gens que nous ne connaissons pas, dit Rosalie. Je sais que les Yeux du cœur font confiance aux Paradis... mais nous ne pouvons pas être *sûrs* que c'est la bonne famille tant que nous ne l'avons pas rencontrée.

— Si les Paradis ne sont pas la famille idéale pour élever Réglisse, répondit sa mère, nous le garderons jusqu'à ce qu'on en trouve une autre.

Rosalie fit un grand sourire à sa mère, qui haussa les épaules.

— Nous voulons ce qu'il y a de mieux pour Réglisse, n'est-ce pas?

Maria arriva très tôt le lendemain matin.

— C'est trop difficile! s'exclama Rosalie alors que les deux amies regardaient Réglisse courir après une feuille dans la cour.

Il trébuchait et se roulait par terre, ce qui les faisait rire aux éclats.

— Comment vais-je réussir à lui dire au revoir?

— Mais Rosalie, dit Maria, imagine... si ma mère n'avait jamais eu Simba. Réglisse va devenir un chien-guide comme lui! Un jour, il va transformer la vie d'une personne aveugle.

Rosalie hocha la tête. Maria avait raison. Rosalie était contente que son amie soit là.

— Tu sais, dit-elle, ça, dans le fond, ça me rend vraiment heureuse. Et Stéphane dit que nous serons sûrement invités l'année prochaine à la cérémonie quand Réglisse et son nouveau maître recevront leur diplôme.

Elle lança un regard reconnaissant à Maria. Elle était tellement contente d'avoir enfin une meilleure amie.

Maria était encore chez les Fortin quand les Paradis arrivèrent dans leur fourgonnette, avec une cage à l'arrière pour Réglisse.

Maria, Charles et Rosalie observèrent les Paradis qui s'approchaient. Rosalie pensa qu'ils avaient l'air de gens bien. Mais était-ce la famille idéale pour Réglisse?

— Salut, petit bonhomme, dit Stéphane à Réglisse quand le chiot arriva en courant pour accueillir les visiteurs. Qu'il est mignon!

Rosalie était contente que Stéphane trouve Réglisse mignon. Elle était fière du petit chiot.

— Il est aussi très intelligent. Je lui ai déjà appris qu'il devait s'asseoir pour avoir à manger.

En entendant le mot manger, Réglisse dressa la tête et plissa le front avec son petit air sérieux.

Est-ce que c'était l'heure de manger? Super! Réglisse était toujours prêt pour une petite collation. Il se hâta de s'asseoir et regarda la grande fille.

Stéphane éclata de rire.
— Je vois!
Il sourit à Rosalie.
— Tu as fait du très bon travail avec lui. Et c'était vraiment très intelligent de ta part de deviner qu'il pouvait devenir un chien-guide.
Sa petite sœur et ses parents éclatèrent de rire à leur tour. Amanda était allée s'asseoir à côté du Haricot, par terre, et les deux enfants caressaient Réglisse et le serraient dans leurs bras.

Réglisse aimait ces nouvelles personnes. Surtout la petite fille. Elle sentait délicieusement bon!

Rosalie remarqua qu'Amanda était douce avec Réglisse, comme le Haricot. C'était bon signe.
— Nous avons apporté un cadeau pour le Haricot,

dit Mme Paradis. Nous avons pensé que ça l'aiderait à ne pas trop s'ennuyer de son ami.

Elle tira un animal en peluche du grand sac qu'elle avait apporté avec elle. C'était un grand chiot labrador noir.

— Iot! s'exclama le Haricot en tendant les bras.

Rosalie regarda son petit frère qui serrait fort la peluche. Elle avait le sentiment qu'elle aussi pourrait bien avoir besoin de la serrer dans ses bras dans les jours à venir.

Pourquoi?

Parce que maintenant, elle en était certaine. Quand ils partiraient, les Paradis emmèneraient Réglisse avec eux. Il était évident qu'ils étaient la famille parfaite pour élever Réglisse.

Rosalie, le cœur gros, regarda le chiot qui léchait la joue d'Amanda et pendant un instant, elle eut envie de pleurer. Elle était vraiment tombée amoureuse du petit labrador et cela lui brisait le cœur de devoir le donner. Mais Réglisse allait passer toute une année avec cette super famille et, ensuite, il allait apprendre à devenir un chien-guide! Elle devait le laisser partir, c'était la bonne chose à faire.

Rosalie regarda sa mère, et lui fit un sourire avec un petit hochement de la tête. *C'était la famille idéale,* lui dit Rosalie sans avoir besoin d'utiliser de mots.

Mme Fortin lui répondit par un hochement de tête.

Puis, elle se tourna en souriant vers les Paradis.

— Que diriez-vous d'une limonade?

— Bonne idée! dit Mme Paradis. Nous avons apporté des photos des chiots que nous avons élevés.

Ils se dirigèrent tous vers la cuisine, avec Réglisse qui trottinait derrière Amanda. Rosalie savait que les Paradis s'occuperaient bien de lui.

Ce n'était pas facile de dire au revoir à Réglisse. Mais Rosalie savait que c'était ce qu'elle devait faire. Et elle savait aussi que sa famille accueillerait probablement un autre chiot bientôt, un chiot qui aurait besoin d'eux pour trouver un bon foyer. Déjà, Rosalie avait hâte de le rencontrer!

EN SAVOIR PLUS SUR LES CHIOTS

Certains chiots, comme Réglisse, apprennent très vite. D'autres ont besoin de plus de temps, mais il ne faut pas abandonner! Avec du temps et de la patience, tu peux apprendre à ton chiot les bonnes manières, et plus encore.

Il existe beaucoup de livres qui expliquent comment éduquer son chien. Tu peux aussi faire des recherches sur Internet. Il y a peut-être aussi des écoles de dressage pour chiens dans ta région.

Sois toujours gentil avec ton chiot pendant les séances de dressage. Félicite-le, caresse-le et offre-lui des friandises. Si ton chien n'est pas très gourmand et préfère jouer à la balle, joue avec lui pour le récompenser.

Ne crie pas et ne tire pas sur la laisse. Et souviens-toi que la durée d'attention de la plupart des chiots est d'environ dix minutes. Les séances de dressage doivent donc être courtes!

Chères lectrices,
Chers lecteurs,

Il y a quelques années, ma nièce Katie a accueilli un chiot labrador jaune qui s'appelait Oreo. Katie s'en est occupée pendant toute une année. Oreo l'accompagnait partout, avec sa petite veste sur laquelle était écrit « Chien-guide en apprentissage ». Au bout d'un an, Oreo est parti pour continuer son programme de formation. Katie est allée à la cérémonie de remise des diplômes.
Katie m'a dit qu'éduquer Oreo avait été très amusant, mais aussi une grande responsabilité.
Tout en étant triste de voir partir son chien, ma nièce était heureuse de savoir qu'Oreo allait aider une personne aveugle et rendre, jour après jour, sa vie plus belle.

Caninement vôtre,
Ellen Miles